RATUS POCHE

COLLECTION DIRIGÉE PAR JEANINE ET JEAN GUION

❧

Ratus et la télévision

Les aventures du rat vert

- Le robot de Ratus
- Les champignons de Ratus
- Ratus raconte ses vacances
- Ratus et la télévision
- Ratus se déguise
- Les mensonges de Ratus
- Ratus écrit un livre
- L'anniversaire de Ratus
- Ratus à l'école du cirque
- Ratus et le sapin-cactus
- Ratus et le poisson-fou
- Ratus et les puces savantes
- Ratus en ballon
- Ratus père Noël
- Ratus à l'école
- Un nouvel ami pour Ratus
- Ratus et le monstre du lac
- Ratus chez le coiffeur
- Ratus et les lapins
- Ratus aux sports d'hiver
- Ratus pique-nique
- Ratus sur la route des vacances
- La grosse bêtise de Ratus
- Ratus chez les robots
- Ratus à la ferme
- Ratus champion de tennis
- Ratus et l'œuf magique
- La classe de Ratus en voyage
- Ratus en Afrique
- Ratus et l'étrange maîtresse
- Ratus à l'hôpital
- Ratus et la petite princesse
- Ratus et le sorcier
- Ratus gardien de zoo
- En vacances chez Ratus

© Hatier Paris 2003, ISSN 1259 4652, ISBN 978-2-218-74366-5

Les aventures du rat vert

Ratus et la télévision

Une histoire de Jeanine et Jean Guion
illustrée par Olivier Vogel

HATIER

LES PERSONNAGES
DE L'HISTOIRE
Marou et Mina
qui aiment rire et jouer
Ratus
l'affreux rat vert
Belo
le bon grand-père chat
Victor
le chien musclé

Ratus a acheté un téléviseur.
Il a installé une antenne 1
sur le toit de sa maison,
puis il a branché son poste.
Après, il est allé dire à Marou
et à Mina :
– Je vais regarder la télé
toute la journée !

Que raconte le journaliste dans l'histoire ?

Le rat vert s'est assis
dans son fauteuil.
Sur son écran, il voit deux chats.
Un journaliste raconte qu'ils ont sauvé
un chaton de la noyade. 2
Tout le monde les félicite. 3
– Ces histoires de chats sont bêtes !
dit Ratus. Je ne veux pas voir
de chats !
Et Ratus change de programme.

Où sont les chanteurs que voit Ratus ?

– Chic ! se dit le rat vert, voilà
des chansons !
Deux chanteurs s'avancent
vers les caméras.
– Mais ce sont encore des chats !
dit Ratus.
Ils ont des cheveux roses
qui sont ébouriffés. 4
Ils crient au lieu de chanter,
ils secouent leur guitare
au lieu de jouer.

Dans l'histoire,
à qui téléphone Ratus ?

Le présentateur arrive, 5
un micro à la main.
C'est un vieux chat
avec un nœud papillon. 6
Cette fois, Ratus est très en colère :
– Je ne veux plus voir de chats !
Il téléphone au spécialiste 7
de la télévision pour commander
une antenne parabolique. 8
– Je veux voir la télévision
d'autres pays, explique le rat vert. 9

Quelle est la nouvelle antenne de Ratus ?

Deux jours plus tard, on livre à Ratus une grosse antenne parabolique. Marou et Mina sont venus voir leur voisin.

– A quoi va servir cette antenne ? demande Marou.

– A voir toutes les télévisions du monde, dit Ratus.

– Mais tu ne pourras pas toutes les regarder ! dit Mina.

– Je sais, dit Ratus. Mais je pourrai choisir des émissions où l'on voit des rats !

Avec sa nouvelle antenne, que regarde le rat vert ?

Le rat vert a branché
sa nouvelle antenne.
Il règle son poste.
– Chic ! se dit Ratus. Voilà enfin
une émission de rats.
Autour d'une grande table,
six rats de bibliothèque bavardent
des livres qu'il faut lire.
– Cette émission n'est pas très drôle,
mais je préfère regarder des rats
plutôt que des chats, parole de rat vert !

Qui gagne le match, à la télévision ?

16 **L'équipe des rats.**

17 **Ratus, le rat vert.**

18 **L'équipe des chats.**

Dans l'histoire, que fait Ratus après le match ?

19

20

21

Ratus change de pays.
Maintenant, c'est un match de football 10
entre une équipe de rats
et une équipe de chats.
Ratus est ravi.
– Les rats vont sûrement gagner !
se dit le rat vert.
Mais les chats sont les plus forts
et ce sont les rats qui perdent
le match.
Ratus est tellement en colère 11
qu'il donne un coup de pied 12
dans sa pantoufle.

Quel combat
regarde Ratus ?
22
23
24
7

Ratus met alors la télévision
régionale. Que voit-il ? 13
Un combat entre deux lutteurs.
Et qui sont ces lutteurs ?
– A ma droite, dit l'arbitre, 14
Victor, le plus fort des chiens.
A ma gauche, Gros-Rat,
le plus fort des rats.
Le combat commence.
En moins de deux minutes,
Victor assomme le rat et le jette
sur les spectateurs. 15

25
26
27
Qu'a fait Ratus
quand Victor a gagné ?

– C'est affreux ! dit le rat vert.
Je ne veux plus regarder la télé.
Ce sont toujours les rats qui perdent !
Les spectateurs applaudissent Victor.
Ratus s'approche de l'écran,
un balai à la main.
Il donne un grand coup sur le poste
qui tombe et se casse.

A la fin de l'histoire, que pense Ratus de la télévision ?

28 Il y a toutes sortes de bêtes.

29 Il y a de belles émissions.

30 Il n'y a que des bêtises.

Furieux, le rat vert sort de chez lui. Il prend son échelle et retourne sur son mur.

– Tiens ! Voilà Ratus, dit Marou.

– Tu ne regardes plus la télévision ? demande Mina.

– Non ! A la télé, il n'y a que des bêtises.

– Eh bien, dit Marou, viens jouer avec nous.

– D'accord, j'arrive ! dit Ratus en sautant du mur.

1

une **antenne**

2

la **noyade**
(on prononce :
noi-ia-de)

3

il la **félicite**

4

il est **ébouriffé**
Il est mal peigné.

5

un **présentateur**

6

un **nœud papillon**

7

un **spécialiste**
(on prononce :
spé-sia-lis-te)
C'est une personne qui sait très bien faire quelque chose de difficile.

8

une **antenne parabolique**

9

un **pays**
(on prononce : *pé-i*)

10
il joue au **football**

11
tellement
(on prononce :
tèl-man)

12
un **pied**
(on prononce : *pié*)

13
régional
La télévision
régionale passe
les émissions
de la région.

14
l'**arbitre**
Il dirige le jeu et juge
les coups et les fautes
des joueurs.

15
les **spectateurs**
(on prononce :
spèk-ta-teur)

Les aventures du rat vert

- 1 Le robot de Ratus
- 3 Les champignons de Ratus
- 6 Ratus raconte ses vacances
- 8 Ratus et la télévision
- 15 Ratus se déguise
- 19 Les mensonges de Ratus
- 21 Ratus écrit un livre
- 23 L'anniversaire de Ratus
- 26 Ratus à l'école du cirque
- 29 Ratus et le sapin-cactus
- 36 Ratus et le poisson-fou
- 40 Ratus et les puces savantes
- 46 Ratus en ballon
- 47 Ratus père Noël
- 50 Ratus à l'école
- 54 Un nouvel ami pour Ratus
- 57 Ratus et le monstre du lac
- 1 Ratus chez le coiffeur
- 2 Ratus et les lapins
- 9 Ratus aux sports d'hiver
- 13 Ratus pique-nique
- 23 Ratus sur la route des vacances
- 27 La grosse bêtise de Ratus
- 38 Ratus chez les robots
- 41 Ratus à la ferme
- 46 Ratus champion de tennis
- 56 Ratus et l'œuf magique
- 8 La classe de Ratus en voyage
- 12 Ratus en Afrique
- 16 Ratus et l'étrange maîtresse
- 26 Ratus à l'hôpital
- 29 Ratus et la petite princesse
- 31 Ratus et le sorcier
- 33 Ratus gardien de zoo
- 47 En vacances chez Ratus

Les aventures de Mamie Ratus

- 7 Le cadeau de Mamie Ratus
- 39 Noël chez Mamie Ratus
- 3 Les parapluies de Mamie Ratus
- 8 La visite de Mamie Ratus
- 31 Le secret de Mamie Ratus
- 5 Les fantômes de Mamie Ratus

Ralette, drôle de chipie

- 10 Ralette au feu d'artifice
- 11 Ralette fait des crêpes
- 13 Ralette fait du camping
- 18 Ralette fait du judo
- 22 La cachette de Ralette
- 24 Une surprise pour Ralette
- 28 Le poney de Ralette
- 38 Ralette, reine du carnaval
- 45 Ralette, la super-chipie !
- 51 Joyeux Noël, Ralette !
- 56 Ralette, reine de la magie
- 4 Ralette n'a peur de rien
- 6 Mais où est Ralette ?
- 20 Ralette et les tableaux rigolos
- 44 Les amoureux de Ralette
- 48 L'idole de Ralette
- 11 Ralette au bord de la mer
- 34 Ralette et l'os de dinosaure

Les histoires de toujours

- 27 Icare, l'homme-oiseau
- 32 Les aventures du chat botté
- 35 Les moutons de Panurge
- 37 Le malin petit tailleur
- 41 Histoires et proverbes d'animaux
- 49 Pégase, le cheval ailé
- 26 Le cheval de Troie
- 32 Arthur et l'enchanteur Merlin
- 36 Gargantua et les cloches de Notre-Dame
- 43 La légende des santons de Provence
- 49 Les malheurs du père Noël
- 52 À l'école de grand-père
- 21 L'extraordinaire voyage d'Ulysse
- 27 Robin des Bois, prince de la forêt
- 36 Les douze travaux d'Hercule
- 40 Les folles aventures de Don Quichotte
- 46 Les mille et une nuits de Shéhérazade
- 49 La malédiction de Toutankhamon
- 50 Christophe Colomb et le Nouveau Monde

Super-Mamie et la forêt interdite

- 42 Super-Mamie et le dragon
- 43 Le Noël magique de Super-Mamie
- 44 Les farces magiques de Super-Mamie
- 48 Le drôle de cadeau de Super-Mamie
- 39 Super-Mamie, maîtresse magique
- 42 Au secours, Super-Mamie !
- 45 Super-Mamie et la machine à rétrécir
- 50 Super-Mamie, sirène magique
- 57 Super-Mamie, dentiste royale
- 37 Le mariage de Super-Mamie
- 39 Super-Mamie s'en va-t-en guerre !

L'école de Mme Bégonia

- 11 Drôle de maîtresse
- 14 Au secours, le maître est fou !
- 16 Le tableau magique
- 25 Un voleur à l'école
- 33 Un chien à l'école
- 47 Bonjour, madame fantôme !

La classe de 6e

- 14 La classe de 6e et les hommes préhistoriques
- 17 La classe de 6e tourne un film
- 24 La classe de 6e au Futuroscope
- 30 La classe de 6e découvre l'Europe
- 35 La classe de 6e et les extraterrestres
- 42 La classe de 6e et le monstre du Loch Ness
- 44 La classe de 6e au Puy du Fou
- 48 La classe de 6e contre les troisièmes

Collection Ratus Poche

Collection Ratus Poche

Les imbattables

Baptiste et Clara

Les enquêtes de Mistouflette

Francette top secrète

Conception graphique couverture : Pouty Design

Conception graphique intérieur : Jean Yves Grall • mise en page : Atelier JMH

Imprimé en France par Pollina, 85400 Luçon - n° L45373

Dépôt légal n° 30554 - janvier 2008